CW00951684

Chien Pourri

Colas Gutman

Chien Pourri

Illustrations de Marc Boutavant

Mouche
l'école des loisirs
11, rue de Sèvres, Paris 6e

Du même auteur à *l'école des loisirs*

Collection MOUCHE

Rex, ma tortue
Roi comme papa
Les chaussettes de l'archiduchesse
Les aventures de Pinpin l'extraterrestre
Je ne sais pas dessiner
La vie avant moi
L'enfant
La princesse aux petits doigts
Joyeux Noël, Chien Pourri !

Collection CHUT !

Rex, ma tortue
lu par Céline Milliat

Loi n° 49.956 du 16 juillet 1949 sur les publications
destinées à la jeunesse : juin 2013
Dépôt légal : avril 2014
Imprimé en France par I.M.E – 25110 Baume-les-Dames

ISBN 978-2-211-21197-0

Ben, qui a sorti
Chien Pourri
de sa poubelle

Chien Pourri tombe de haut

Chien Pourri est né dans une poubelle et de nombreuses rumeurs courent à son sujet : il aurait été abandonné par ses parents, sentirait la sardine et confondrait sa droite avec sa gauche. Tout cela est vrai, mais ce n'est pas tout : Chien Pourri est également recouvert de puces et ne se déplace jamais sans un fan-club de mouches. Pourtant, sous le pelage de cet animal malchanceux se cache un être doux et affectueux. Il n'est pas rare d'ailleurs qu'il se prenne lui-même pour un labrador.

Malheureusement, son aspect de vieille moquette râpée repousse les enfants les plus courageux. Chien Pourri partage sa poubelle avec

Chaplapla, autre estropié de la vie, passé sous les roues d'un camion à l'âge de trois mois. Son ami lui propose inlassablement les mêmes jeux.

– On joue à chat ?

– Ben non, je suis un chien.

– Alors à chat perché ?

– Ben non, je ne suis pas un arbre.

Pauvre Chien Pourri, il ne comprend jamais rien. Mais un jour, la découverte d'un vieux lacet dans sa poubelle le pousse à se poser une drôle de question :

– Dis-moi, Chaplapla, pourquoi les chiens ont-ils des laisses ?

– Parce qu'ils ont des maîtres, Chien Pourri !

– Qu'est-ce que c'est ?

– Tu ne sais pas ce qu'est un maître ? !

– Non.

Aussitôt des larmes coulent sur son museau. Il sent qu'un maître est quelque chose d'important, que tous les chiens connaissent sauf lui. Pour se donner du courage, il avale un yaourt périmé et une vieille peau de banane.

– Ne t'inquiète pas, je vais t'expliquer, le rassure Chaplapla.

Un pot de rillettes et trois boîtes de raviolis sur la tête plus tard, Chien Pourri rêve d'un maître qui l'aimerait et lui donnerait des croquettes.

– Chaplapla, on ne jette pas les maîtres à la poubelle, par hasard ?

– Non, Chien Pourri, pour en rencontrer un, tu devras parcourir le vaste monde.

Chien Pourri promet à Chaplapla de revenir bientôt avec une pompe à vélo pour le regonfler et sort de sa poubelle, sale comme un cochon et bête comme un âne.

Après avoir confondu une laisse avec une corde à sauter et suivi deux pigeons qu'il prenait pour des maîtres, Chien Pourri, finalement en recon-

naît un. « Je vais lui offrir quelques puces pour le mettre en confiance. »
Chien Pourri se frotte à lui, mais le maître n'a pas l'air d'apprécier :

– Va-t'en, vieux paillasson !

– C'est fou, tous ces pouilleux en ville ! grogne un caniche à frange qui l'accompagne.

– Oui, ils se multiplient comme des rats, remarque un basset en petit manteau. Il faudrait les piquer !

Mais le maître s'approche de Chien Pourri et le scrute d'un drôle d'air.

– Dis-moi, vieille serpillière, que fais-tu seul sur ce trottoir ? Es-tu abandonné ? Et d'ailleurs es-tu seulement un chien ?

Et il se met à rire.

« Je crois qu'il m'aime bien ! » pense Chien Pourri.

Chien Pourri voudrait aboyer pour fêter cette rencontre, mais il n'arrive pas à émettre le moindre son. Il est tellement ému qu'il a comme un paquet de cacahuètes coincé dans le gosier.

– Allez suis-moi, chien galeux, je vais m'occuper de toi !

C'est le plus beau jour de la vie pourrie de Chien Pourri : « À moi les croquettes et les ba-balles, se réjouit-il. Quelle chambre va me donner mon maître ? A-t-il une télé pour regarder *30 millions d'amis* ? Et des enfants pour me donner des su-sucres ? » Chien Pourri est aussi excité que les puces qui sautent sur son pelage. Mais son maître le laisse à l'entrée d'un petit pavillon gris et accroche à son cou : « Attention, Chien Pourri ! »

Le soir, le brave toutou se régale d'une gamelle de restes de restes de l’avant-avant-veille et s’endort comme un sac sur des graviers.

Mais au réveil, ô joie, son maître lui demande :

– As-tu bien dormi, vieille moquette ?

– Oui merci, dit Chien Pourri.

– Pour fêter cela, je t’invite à déjeuner !

Chien Pourri court après la voiture de son maître. Le caniche à frange et le basset à petit manteau, eux, se sont installés sur la banquette arrière, mais Chien Pourri est ravi :

« Quel bon maître, il me fait faire de l'exercice pour que je garde la forme ! »

Une demi-heure plus tard, assoiffé, il arrive au :

MEAT

Chien Pourri tombe bien bas

– Que m'apportes-tu cette semaine ? demande un cuisinier.

– Deux petites saucisses et une serpillière, répond le maître.

– Ta serpillière sent la sardine, je n'en veux pas.

– Quand est-ce qu'on mange ? demande Chien Pourri.

– Quand les poules auront des dents ! répond son maître.

– J'en connais justement une, dit Chien Pourri…

– Dis à ta serpillière de se taire ! Je prends le caniche et le basset pour mes mini-hot-dogs.

– Tope là, dit son maître.

– Et cochon qui s'en dédit, fait le cuisinier.

« Ce n'est pas juste, ce sont toujours les mêmes qui sont choisis : je ne suis qu'un pauvre chien errant, une brebis galeuse sans berger, un hibou sans arbre, une boîte de conserve sans ouvre-boîte », se lamente Chien Pourri.

– Que vais-je faire de toi ? se désespère son maître. Tu pourras toujours garder la maison. Moche comme tu es, tu effraieras les passants.

Chien Pourri reprend espoir et gobe une mouche. Son nouveau

travail lui plaît bien : tout le monde s'écarte à sa vue, même les aveugles, repoussés par son odeur de sardine. Seuls quelques curieux osent s'approcher :

– Êtes-vous un loup-garou ? demande une dame.

– Ou un mouton retourné ? s'interroge un monsieur.

– Je cherche un bout de moquette. Puis-je prélever un échantillon ? demande un autre.

Chien Pourri commence à regretter la tranquillité de sa poubelle. Mais tout à coup, il ressent une terrible envie de faire le beau. Au loin, il aperçoit une petite fille. « Une enfant, j'adore les enfants ! » se dit-il. Et comme un aimant attiré par un Frigidaire, Chien Pourri se colle à elle :

– Bonjour, gentil chien, que faistu ici ? demande la petite fille.

– Je surveille la maison de mon maître, répond Chien Pourri.

– Tu n'as pas peur des cambrioleurs ?

– Euh, c'est quoi déjà ?

– Aimes-tu les croquettes à la viande, brave toutou ?

– Oh oui !

« Pauvre petite fille errante, pense Chien Pourri. Elle n'a même pas de lacets à ses souliers ! Mais que vois-je dans sa main ? Des croquettes ! ? »

– Tiens, prends, vieux toutou.

Aussitôt la croquette avalée, Chien Pourri s'endort comme piqué par une mouche tsé-tsé.

– C'est bon, dit la petite fille, la voie est libre, vous pouvez venir !

– Bon travail, répondent trois bandits cachés derrière des buissons.

Pendant que Chien Pourri ronfle comme un mammouth, les trois bandits pénètrent dans la maison du maître. Un téléviseur sous le bras,

deux ordinateurs à la main et cinq colliers autour du cou plus tard, les malfaiteurs s'essuient les pieds sur Chien Pourri qu'ils prennent pour un paillasson. La pauvre bête se réveille. «Tiens, mon maître est attaché et bâillonné dans le jardin ! Il veut sûrement jouer aux gendarmes et aux voleurs avec moi. Je vais le délivrer comme un bon chien policier ! »

– Idiot des îles, crétin dégénéré, mangeur de sardines avariées ! lui dit son maître une fois libéré.

– Quel est cet individu peu recommandable ? Il faut s'en débarrasser ! répond Chien Pourri.

– C'est toi, pauvre idiot ! À quoi sers-tu si tu laisses entrer les cambrioleurs !

donne
CHiEN
POURRi,
STUPiDE,
FAiNÉANT,
iNUTiLE.

Chien Pourri tombe dans un piège

Son maître change sa pancarte : « Donne Chien Pourri, stupide, fainéant, inutile. » Mais personne n'en veut, et au bout d'une semaine à gober les mouches et à se gratter les puces, Chien Pourri décide de trouver du travail comme paillasson dans un restaurant. « Avec l'argent gagné, j'achèterai une pompe à vélo pour Chaplapla et des lacets pour la gentille petite fille ! »

Chien Pourri reprend la route, regonflé comme un ballon. Malheureusement, des enfants le prennent vraiment pour un ballon de foot. Il court se réfugier dans un restaurant, mais il est chassé à coups de pieds. Même comme paillasson à mi-temps, personne n'en veut. « Je suis un lacet sans chaussure, une casserole sans manche, un spaghetti sans tomate, un chien pourri pour la vie », se dit-il.

Mais dans la vie d'un chien pourri, il y a parfois des moments agréables, et Chien Pourri saute de joie en apercevant un écriteau :

Chien Pourri a enfin trouvé un endroit qui sent bon la soupe et qui l'acceptera tel qu'il est. Une petite fille l'accueille. « C'est marrant, elle ressemble à l'autre, se dit-il. Tiens, elle non plus n'a pas de lacets ! »

– On ne s'est pas déjà vus quelque part ? lui demande-t-il.

– Ça m'étonnerait, je ne parle ni aux serpillières ni aux paillassons !

Chien Pourri l'aurait pourtant juré, mais comme il sait que son cerveau ressemble à une cacahuète grillée, il n'insiste pas.

« Quel drôle d'endroit, tout de même », se dit-il.

Dans une cage, deux chèvres jouent à saute-mouton et une oie à la pêche aux canards.

« Chouette ! Je vais me glisser à l'intérieur et me faire de nouveaux amis », se dit Chien Pourri. Mais à peine a-t-il posé une patte dans la cage qu'un chat hurle :

– Quel est l'imbécile qui me marche sur la queue ?

– Chaplapla ! Que fais-tu là ?

– Chien Pourri, c'est toi ?

Les deux amis n'ont pas le temps de se répondre : la petite fille aux souliers rouges les enferme à double tour !

– Désolée, je n'ai pas le choix. N'essayez pas de vous échapper ou mes maîtres vous tueront !

– Tes maîtres ? Je croyais que les enfants avaient des parents !

Mais la petite fille s'en va, sans répondre.

– Chaplapla, mon flair me dit que nous allons nous plaire dans cet endroit !

– Chien Pourri, tu es aussi naïf que moche, et tu es très moche !

Chien Pourri tombe sur plus fort que lui

Chaplapla a raison de s'inquiéter : leur cage rejoint d'autres cages dans une camionnette.

– On va finir en pâtée pour chien, dit un canard boiteux.

– Ou en soupe de tortue, dit une tortue sans carapace.

– Ça doit être bon ! dit Chien Pourri. Oh ! Chaplapla, tu as vu, c'est rigolo, ça bouge.

– Je ne vois pas ce qu'il y a de drôle à se faire kidnapper.

– Qu'est-ce que tu racontes ? Qui voudrait nous enlever ?

– Nous ! répondent trois bandits hilares.

– Et toi, vieux chien galeux, on te réserve un sort particulier. Ton odeur intéresse un client. On va te presser comme une serpillière pour faire du jus de chien.

– Un parfum plus exactement, que nous appellerons *Chien de Paris*, ajoute un des bandits.

– Tu entends ça, Chaplapla ? Je vais devenir célèbre !

Mais Chaplapla ne répond pas, écrasé entre un lama sans laine et un zèbre sans rayures. La camionnette s'arrête à la lisière d'une forêt, devant :

– Tout le monde descend ! crie la petite fille.

Le canard boiteux, l'âne bâté, le perroquet muet, le manchot unijambiste, la tortue sans carapace et le pigeon sans aile descendent les premiers.

– Chouette, un musée autorisé aux chiens ! apprécie Chien Pourri.

Viens, Chaplala, il y aura peut-être des croquettes et la Joconde !

Mais Chaplapla se fait aussi plat qu'il peut pour ne pas se faire remarquer. Le premier bandit dit :

– Nous allons vous trier.

Le deuxième bandit dit :

– Certains seront empaillés et finiront au musée.

Le troisième bandit dit :

– Les autres seront répartis selon leur utilité.

– Avec mon physique, ils vont me clouer au mur ou me transformer en dessous-de-plat, dit Chaplapla.

– Et moi, en canard W.-C., dit le canard boiteux.

– Et moi, en tir au pigeon, dit le pigeon sans aile.

– « Empaillés », c'est lorsqu'on boit à la paille ? demande Chien Pourri.

À l'entrée du musée, Chien Pourri reconnaît le caniche à frange et le basset à petit manteau.

– Bonjour les amis ! dit Chien Pourri. Comment va votre gentil maître ?

– Il nous a vendus comme des saucisses, mais on a réussi à s'enfuir.

– Je ne comprends pas, dit Chien Pourri, le restaurant n'était pas bon ?

– Ne faites pas attention à lui, dit Chaplapla.

– En tout cas, méfiez-vous des croquettes de la petite fille sans lacets. Elles vous assomment, dit le basset.

– Quelqu'un vous a tapé sur la tête ? demande Chien Pourri.

– Moi, je ne reste pas là, dit Chaplapla. Viens, Chien Pourri, fuyons !

– Ah non, je ne pars pas sans mon parfum *Chien de Paris* !

Chaplapla n'a pas le temps de lui expliquer qu'il court un grand danger, que déjà les trois bandits les encerclent :

Le premier bandit dit :

– Je prends le chat aplati, je connais un collectionneur d'œufs sur le plat.

Le deuxième bandit dit :

– Et moi le perroquet muet, je connais un collectionneur sourd comme un pot.

Le troisième bandit dit :

– Moi, je prends mon temps, je ne sais pas lequel choisir.

– Et moi, je voudrais m'occuper de Chien Pourri ! dit la petite fille aux souliers rouges.

Aussitôt, les mouches qui tournent autour de Chien Pourri s'arrêtent de voler et tombent sur son museau.

– Bien sûr, presse-le tant que tu veux, si ça peut te faire plaisir. Ah, les enfants sont incorrigibles !

Et les trois bandits rient tous en chœur.

« Que ces maîtres sont joyeux ! pense Chien Pourri. Si un jour je trouve un os, je le rapporterai pour leur musée. »

Mais, une fois seul avec la petite fille, Chien Pourri est déçu : elle ne le presse pas comme un citron.

– Ai-je fait quelque chose de mal ? demande-t-il.

– Au contraire, gentil toutou. Tu vas m'aider à m'enfuir.

– Mais qu'est-ce que vous avez tous à vouloir partir ?

– J'ai été kidnappée par ces affreux bandits et si je ne leur obéis pas, je ne reverrai plus jamais mes parents.

– Ton histoire est très triste, petite fille, mais à ta place je continuerais à obéir à mes gentils maîtres.

– Ce ne sont pas mes maîtres, Chien Pourri, et je ne veux plus jamais faire de mal aux animaux !

– Mais comment retrouver tes parents ? J'ai déjà du mal à retrouver ma poubelle !

– J'ai du flair, Chien Pourri, je sais que derrière ton aspect de vieille moquette se cache un chien merveilleux.

– Bon, si je t'aide, tu m'apprendras à faire le beau ?

– Non, ça, c'est impossible.

– Alors j'aurai droit à un su-sucre ?

– Oui, Chien Pourri, à tous les sucres que tu voudras.

Chien Pourri pleure de joie, car sous son pelage nauséabond se cache un chien sensible et courageux qui adore les su-sucres. « Je vais tous les sauver ! » se dit-il.

Chien Pourri tombe dans un trou

Tel un maître de l'évasion, Chien Pourri creuse un tunnel pour ses compagnons d'infortune pendant que la petite fille prépare un cake empoisonné aux croquettes pour les bandits.

Quand minuit sonne et que les bandits dorment, chien et chat se préparent à partir.

– Chaplapla, sache que si cela tourne mal, tu auras été le chat le plus plat que j'aie jamais connu.

– Et toi, le chien le plus pourri.

Les débuts dans le tunnel sont difficiles, le canard boiteux retarde tout le monde et le lama n'arrête pas de cracher. Et puis, Chien Pourri confond sa droite et sa gauche, sa tête et sa queue. Mais il se répète : « Je suis l'ouvre-boîte de la conserve, le berger des moutons, la coquille de l'escargot, et je sauverai mes amis ! »

Alors, dans l'obscurité, Chien Pourri sent, pour une fois, autre chose que la sardine ; il sent que la ville n'est pas loin, et il gratte la terre pour apercevoir la lumière d'un réverbère et trouver la sortie !

Les animaux applaudissent leur héros – sauf le manchot, ça va de soi – et se dispersent dans la ville.

Mais avant de retrouver Chaplapla dans leur poubelle, Chien Pourri sait qu'il a une dernière mission à accomplir.

– À quoi ressemblent tes parents ? demande-t-il à la petite fille.

– Mon papa est fort et ma maman est belle.

– Et sais-tu où ils habitent ?

– Je ne sais plus, dit la petite fille, toutes les rues se ressemblent, la ville est tellement grande.

Chien Pourri réfléchit.

– Les parents ne se trouvent pas dans les poubelles, mais dans les boulangeries à l'heure du goûter ! Donne-moi tes souliers et ne bouge pas.

Chien Pourri parcourt les boulangeries de la ville et reçoit des pots de confiture sur la tête, mais rien ne l'arrête. À la cinquante-quatrième boulangerie, Chien Pourri commence à désespérer : « Je suis un imbécile, sa maman ne viendra jamais lui acheter de goûter, puisqu'elle n'a plus sa petite fille ! Je suis une cuillère sans yaourt, un chapeau sans tête, une arête sans poisson, je ne sers à rien ! » Chien Pourri n'a plus qu'à retourner dans sa poubelle et refermer le couvercle sur lui. Mais dans la vie d'un chien pourri, il se produit parfois des miracles qui ressemblent de loin à des mirages : une jolie dame aux souliers vernis pleure sur un banc.

Chien Pourri retombe sur ses pattes

« Pauvre dame, se dit Chien Pourri, je vais lui lécher les pieds pour la consoler. »

Mais en s'approchant, Chien Pourri ne peut s'empêcher de lui demander :

– Que vous arrive-t-il, gentille dame ?

– Ma fille a été enlevée, je suis désespérée.

– Ah oui, c'est vrai que c'est assez triste. Au revoir, madame.

Chien Pourri reprend ses vieux souliers dans la gueule et s'apprête à partir.

– Mais, où as-tu trouvé cela ? demande la dame en sanglotant.

« Je ne savais pas que des souliers pouvaient faire pleurer », se dit Chien Pourri. Dans sa main, la gentille dame serre un vieux lacet, alors Chien Pourri comprend. Il est si ému qu'il semble avoir un rocher coincé dans la gorge, il n'arrive plus à parler. Il voudrait la tirer par la manche, mais il a peur de lui transmettre la rage, alors il se met à courir vite, aussi vite qu'il peut. Et quand enfin la dame aux souliers vernis retrouve sa petite fille, c'est au tour de Chien Pourri de pleurer de joie dans une poubelle, pour ne pas déranger. Pour la première fois de sa vie pourrie, Chien Pourri refuse un su-sucre en récompense. Il préférerait une pompe à vélo toute neuve pour son ami Chaplapla !

Chien Pourri sait désormais qu'il a trouvé mieux qu'un maître ou une maîtresse : une famille pour la vie.